ДИВОВИЖНІ ВИДИ СПОРТУ З УСЬОГО С

(Українська-Англійська)
(Ukrainian-English)

By Douglas McLaughlin
Illustrated by Michelle Griffis
Translated by Oleksandra Matviichuk

Language Lizard
Basking Ridge

Published by Language Lizard
Basking Ridge, NJ 07920
info@LanguageLizard.com

Visit us at www.LanguageLizard.com

Library of Congress Control Number: 2022907977

ISBN: 978-1-63685-150-1 (Print)

Люди у всьому світі захоплюються різними видами спорту. Заняття деякими з них проводяться у приміщенні, а іншими — на відкритому повітрі. Деякими видами спорту займаються поодинці, а іншими — у командах. Існують навіть такі види спорту, де спортсмени змагаються верхи на тваринах. Подивімося на деякі дивовижні види спорту з усього світу!

All around the world, people enjoy different kinds of sports. Some sports are played inside, while others are played outdoors. Some sports are played alone, while others are played in teams. A few sports are even played while riding on animals. Let's look at some amazing sports from around the world!

Зікунаріті — це вид спорту аборигенів, що дуже схожий на футбол. Учасники грають карачки та можуть торкатися м'яча виключно головою. Цей вид спорту популярний у Бразилії, де він також відомий як *хіара* або футбол головою.

Xikunahati is an indigenous sport that is a lot like soccer. Participants play on all fours and can only touch the ball with their heads. The sport is popular in Brazil, where it is also known as *hiara*, or head football.

Метання колоди зазвичай є головною подією на щорічних Шотландських Іграх Горян. Гравці піднімають великий стовп, відомий як колода, та кидають його через відкрите поле, перевертаючи з боку в бік. Колода сягає 16-22 футів завдовжки та важить від 100 до 180 фунтів. Метою змагання є спроба кинути колоду далі, ніж будь-який інший гравець. У цьому виді спорту техніка так само важлива, як і фізична сила.

Caber Toss is usually the main event at the annual *Scottish Highland Games.* Players lift and toss a large pole, known as a caber, end over end across an open field. A caber is from 16 to 22 feet long and weighs from 100 to 180 pounds. The goal is to try to throw the caber farther than any other player. In this sport, technique is as important as physical strength.

Сепактакрау — це командний вид спорту, який багато у чому нагадує волейбол. Однак гравцям дозволяється бити по м'ячу лише ступнями, ногами, грудьми та головою. Використовувати руки заборонено! Сепактакрау, що означає "удар по м'ячу", з'явився в Малайзії у XV столітті. Сьогодні цей вид спорту популярний на всій території Південної та Південно-Східної Азії.

Sepak Takraw is a team sport that is a lot like volleyball. However, players are only allowed to hit the ball with their feet, legs, chest, and head. No hands are allowed! Sepak Takraw, which means "kick ball," dates back to 15th century Malaysia. Today, this sport is popular throughout southern and southeast Asia.

Хай-алай — це різновид гандболу, популярний в Іспанії, Південній Америці, на Філіппінах та у Флориді. У хай-алай, що означає “веселе свято”, грають на майданчику, схожому на ракетбольний. Гравці кидають м’яч (*пелота*) об стіну плетеним совком (*кеста*). Корт для гри у хай-алай спроектований таким чином, що усі учасники мають грати лише правою рукою.

Jai Alai is a handball type of game that is popular in Spain, South America, the Philippines, and Florida. Jai Alai, which means "merry festival," is played on a court that is similar to a racquetball court. Players throw the ball (*pelota*) against the wall using a wicker scoop (*cesta*). The design of the Jai Alai court requires that all players play right-handed.

Метання тунця з 1979 року є головною подією щорічного *фестивалю "Тунарама"* у Порт-Лінкольні, Австралія. Учасники змагаються, жбурляючи якнайдалі важкого пластикового або замороженого тунця. У 1998 році тунець вагою понад 20 фунтів жбурнули на рекордну відстань — 121 фут!

Tuna Toss has been the centerpiece of the annual *Tunarama Festival* in Port Lincoln, Australia since 1979. Participants compete by throwing either a weighted plastic or frozen tuna as far as possible. In 1998, a tuna that weighed over 20 pounds was tossed a record distance of 121 feet!

Нзанго — традиційний жіночий вид спорту в Африці. Дві команди шикуються одна навпроти одної, й гравці намагаються максимально точно відтворити танцювальні рухи іншої команди. Нзанго перекладається як “гра ніг” та проводиться під оплески й спів глядачів.

Nzango is a traditional sport played by women in Africa. Two teams face each other in lines and players try to copy the dance movements of the other team. Nzango translates to “foot game” and is played to a background of clapping and chanting spectators.

Бо-таоші — японський вид спорту, що по суті є великомасштабною версією гри *"Захоплення прапора"*. Дві команди по 75 гравців у кожній намагаються захопити стовп суперників, на вершині якого перебуває гравець. Матчі зазвичай завершуються оголошенням переможця лише за декілька хвилин. Цей вид спорту популярний серед японських військових студентів.

Bo-Taoshi is a Japanese sport that is basically a large scale version of the game *Capture the Flag*. Two teams of 75 players each try to seize the other team's pole, which has a player at the top. Matches usually last only a few minutes before a winner is declared. This sport is popular with Japanese military students.

Скіджоринг — це скандинавський зимовий вид спорту, де учасників лижних гонок тягне кінь або команда собак. Траса для скіджорингу передбачає здолання перешкод, трамплінів та спусків. Змагання зі скіджорингу проводяться у Норвегії, Швеції, Росії та Канаді.

Skijoring is a Scandinavian winter sport where participants race on skis that are pulled by a horse or a team of dogs. A Skijoring course includes obstacles, ramps, and dips. Skijoring events are held in Norway, Sweden, Russia, and Canada.

Пілоло — популярний вид спорту серед дітей Гани. Його назва перекладається як "час шукати". Ця гра — дещо середнє між пошуком скарбів та *хованками*. Команди, що складаються з командирів, наглядачів за часом та шукачів, працюють разом, щоб знайти та зібрати приховані предмети впродовж відведеного часу.

Pilolo is a popular children's sport that is played in Ghana. Its name translates to "time to search for." The game is a cross between a scavenger hunt and the game *Hide and Seek*. Teams, made up of leaders, timekeepers, and searchers, work together to find and gather hidden objects within a given time.

Паркур — французький вид спорту, що впродовж останніх двох десятиліть стрімко набирає популярність у всьому світі. Люди, які їм займаються, називаються *трейсерами*. Вони долають смугу перешкод різних рівнів і конструкцій, бігаючи та стрибаючи. Паркур базується на французькій військовій підготовці.

Parkour is a French sport that has been growing in worldwide popularity over the past two decades. Participants are known as *traceurs.* They travel through an obstacle course of varying levels and designs by running, jumping, and vaulting. Parkour is based on French military training activities.

Квідич — це вид спорту, що з'явився завдяки книжкам про *Гаррі Поттера*. У нього грають як у баскетбол, але верхи на мітлах. Команди з квідичу змагаються за найбільшу кількість очок, кидаючи ігровий м'яч (*квафел*) у кільця різних розмірів та висоти. Популярність квідичу зростає — команди змагаються по всьому світу.

Quidditch is a sport inspired by the *Harry Potter* series. It is played like basketball on broomsticks. Quidditch teams compete to score the most points by throwing the game ball (*quaffle*) through a series of hoops of different sizes and heights. Quidditch has grown in popularity, with teams competing all over the world.

Поло на слонах — це різновид поло, в якому замість гравців верхи на конях два гравці їздять на слоні. Поло на слонах популярне у Непалі, Індії та Таїланді.

Elephant Polo is a variation of polo, where instead of players riding on horses, two players ride together on an elephant. Elephant Polo is popular in Nepal, India, and Thailand.

Юкігасен означає "снігова битва". Цей суперницький вид спорту, що являє собою гру в сніжки, популярний у Японії. Дві команди по 7 гравців змагаються з 90 сніжками, які вони ліплять перед початком гри. В юкігасен також грають у Фінляндії, Канаді та на Алясці.

Yukigassen means “snow battle.” This competitive snowball fighting sport is popular in Japan. Two teams of 7 players battle with 90 snowballs, which are made before the game begins. Yukigassen is also played in Finland, Canada, and Alaska.

Бех — це традиційний вид боротьби монгольських народів. У XIII столітті Чингісхан використовував боротьбу бех, щоб підготувати своїх воїнів до бою. Борець програє поєдинок, коли будь-яка частина його тіла, крім ніг, торкається землі.

Bokh is a traditional form of Mongolian wrestling. In the 13th century, Genghis Khan used Bokh wrestling to train his soldiers for battle. A wrestler loses the match when any part of their body, other than their feet, touches the ground.

Кхо-кхо — командний вид спорту, що виник у Стародавній Індії. Він схожий на гру *"догонялки"*. За певний проміжок часу дві команди по 12 гравців у кожній намагаються перехопити членів команди суперника та захистити свою ділянку великого ігрового поля. Цей вид спорту не вимагає ніякого спорядження. Кхо-кхо користується популярністю у Південній Азії, Південній Африці та Англії.

Kho Kho is a team sport that began in ancient India. It is played like the game of *Tag*. In timed rounds, two teams of 12 players attempt to tag members of the other team and defend their area of a large playing field. The sport does not require any equipment. Kho Kho is popular in South Asia, South Africa, and England.

Страусині перегони дуже схожі на кінні, але їхня відмінність полягає у тому, що жокеї їздять верхи на страусах. Страуси можуть досягати до 9 футів у висоту, важать у середньому 200 фунтів та розвивають швидкість до 43 миль на годину! Страусині перегони популярні у Південній Африці та деяких частинах США.

Ostrich Racing is a lot like horse racing, only the jockeys ride on ostriches. Ostriches can be 9 feet tall, average 200 pounds, and run 43 miles per hour! Ostrich Racing is popular in South Africa and some parts of the United States.

Капоейра — це бойове мистецтво, що виникло в 1500-х роках у Бразилії в середовищі африканських рабів. Згодом воно перетворилося на поєднання акробатики, музики та танцю. Сьогодні капоейра практикується у багатьох частинах світу.

Capoeira is a martial art which was originally practiced by enslaved Africans in Brazil during the 1500s. It has evolved over time into a mix of acrobatics, music, and dance. Capoeira is now practiced in many parts of the world.

Вільне лазіння — це екстремальна форма традиційного скелелазіння. Скелелази долають круті скельні утворення, використовуючи лише опори для рук та ніг. Анкери, мотузки та скоби застосовуються виключно для уникнення травм у разі падіння. Фрі-соло — різновид вільного лазіння, при якому не використовується жодне допоміжне спорядження. Вільне лазіння на вершину скелі Ель-Капітан заввишки 3000 футів у Національному парку Йосеміті — це одне з найвідоміших випробувань у спорті.

Free Climbing is an extreme variation of traditional rock climbing. Climbers navigate steep rock formations using only handholds and footholds. Anchors, ropes, and clips are only used to prevent a climber from getting injured if they fall. Free soloing is a type of free climbing where no aids are used. Free climbing the 3,000 foot summit of El Capitan in Yosemite National Park is one of the sport's most famous challenges.

Visit **www.LanguageLizard.com/Sports** or scan the QR code for additional material including:

- More information about these sports
- A detailed lesson plan and teacher resources
- English audio